Aprendo
a leer y escribir

Método fonético silábico

Autora: Mónica Sarmiento Ilustradora: Agustina Lopes

Este libro es de:

....

Published by Mónica Sarmiento
E-mail: mssarmiento@hotmail.com
Menlo Park,CA 94025

Copyright © 2020 Mónica Sarmiento
Illustrations © 2020 Agustina Lopes
Library of Congress Cataloging-in-Publication Data

Mónica Sarmiento, Author
Agustina Lopes, Illustrator

ISBN: 978-1-7346665-0-2
Printed in the United States of America. First Edition

Aprendo a Leer y Escribir is a book based on the Phonetic Syllabic Method, that provides children with a series of carefully thought out and well-sequenced activities that will ensure their success in learning to read and write in Spanish.

Why a Phonetic Syllabic Method?

After having been teaching for more than 30 years to hundreds of children I have arrived to the conclusion that the best method to learn to read Spanish is a Phonetic Syllabic Method.

Spanish is the perfect candidate to be taught according to a phonetic approach. Why? Because Spanish is also an alphabetic language. This means that there is almost a perfect one-to-one correspondence between the sounds and the letters that represent those sounds. Children must learn to develop such correspondence.

Spanish is also a syllabic language. A syllable is a sound unit that can be easily learned. Syllables are more natural than letter sounds because they are easier for children to pronounce, and to recognize.

How is this method used in Aprendo a Leer y Escribir?

The Phonetic Syllabic Method used in Aprendo a Leer y Escribir introduces each of the five vowels by emphasizing the reading and spelling of each of them. Then, syllables are introduced by combining each consonant with each of the vowels to form a direct syllable (consonant + vowel). Once the child dominates a new direct syllable, he is ready to combine it with another one to make a new word. This pattern repeats all along the book. By the end of the book, the child will be able to read and write any word with two or more direct syllables (any CVCV word).
Twenty-two direct syllables are introduced following a sequence based on the frequency of their appearance both in words used by early literacy texts, and in words familiar to children.

A key component of the Phonetic Syllabic Method in Aprendo a Leer y Escribir is that each new syllable introduced always appears in an initial position in the word. For example, to teach the syllable ma, words such as mama, mano, manzana, etc. are used. This makes the auditory discrimination, reproduction, and memorization of the syllable easier than if the syllable were situated at the end of a word. For example, rama for the syllable ma.

Every word in the book Aprendo a Leer y Escribir, has an illustration as a visual support to facilitate the children understanding of each word that they read.

New words are introduced with each new syllable. The words are repeated throughout the book, which facilitates their memorization, and thus the enrichment of the child's vocabulary. By the end of the book, the child will have learned 500 new words.

Aprendo a Leer y Escribir, comes in a series of five workbooks, each workbook covers the following letters.
Book 1: Vowels A E I O U; **Book 2**: M P S L T; **Book 3**: R N B F D; **Book 4**: C (ca,co,cu) C (ce,ci) que, qui. J G CH;
Book 5: V LL Y Z H K W X Ñ

Aprendo a Leer y Escribir es un libro basado en el método fonético silábico, que brinda a los niños una serie de actividades cuidadosamente pensadas y bien secuenciadas que asegurarán su éxito en aprender a leer y escribir en español.

¿Por qué un método fonético silábico?

Después de haber enseñado durante más de 30 años a cientos de niños, llego a la conclusión de que el mejor método para enseñar a leer español es un método fonético silábico. El español es el candidato perfecto para ser enseñado de acuerdo con un enfoque fonético. ¿Por qué? Porque el español también es un idioma alfabético. Esto significa que hay una correspondencia casi perfecta entre los sonidos y las letras que representan esos sonidos. Los niños deben aprender a desarrollar esa correspondencia. El español también es un idioma silábico. La sílaba es una unidad de sonido que se puede aprender fácilmente. Las sílabas son más naturales que los sonidos de letras porque son más fáciles de pronunciar y reconocer para los niños.

¿Cómo se usa este método en Aprendo a Leer y Escribir?

El método silábico fonético utilizado en Aprendo a Leer y Escribir introduce cada una de las cinco vocales enfatizando la lectura y la ortografía de cada una de ellas. Luego, las sílabas se introducen combinando cada consonante con cada una de las vocales para formar una sílaba directa (consonante + vocal). Una vez que el niño domina una nueva sílaba directa, está listo para combinarla con otra y crear una nueva palabra. Este patrón se repite a lo largo del libro. Al final del libro, el niño podrá leer y escribir cualquier palabra con dos o más sílabas directas (cualquier palabra CVCV). Veintidós sílabas directas se introducen siguiendo una secuencia basada en la frecuencia de su aparición, tanto en palabras usadas por textos de alfabetización temprana como en palabras familiares para los niños.

Un componente clave del método fonético silábico en Aprendo a Leer y Escribir es que cada nueva sílaba introducida siempre aparece en una posición inicial en la palabra. Por ejemplo, para enseñar la sílaba ma, se usan palabras como mamá, mano, manzana, etc. Esto hace que la discriminación auditiva, la reproducción y la memorización de la sílaba sean más fáciles que si la sílaba estuviera situada al final de una palabra. Por ejemplo, rama para la sílaba ma.

Cada palabra del libro Aprendo a Leer y Escribir tiene una ilustración como soporte visual para facilitar a los niños la comprensión de cada palabra que leen. Se introducen nuevas palabras con cada nueva sílaba. Las palabras se repiten a lo largo del libro, lo que facilita su memorización y, por lo tanto, el enriquecimiento del vocabulario del niño. Al final del libro, el niño habrá aprendido 500 palabras nuevas.

Aprendo a Leer y Escribir, viene en una serie de cinco libros, cada libro cubre las siguientes letras.
Libro 1: Vocales A E I O U; **Libro 2**: M P S L T; **Libro 3**: R N B F D; **Libro 4**: C (ca, co, cu) C (ce, ci) que, qui. J G CH;
Libro 5: V LL Y Z H K W X Ñ

Book 1

Aa Ee Ii Oo Uu

This book presents effective activities for teaching reading and writing
to children who are learning Spanish as a first or second language.

COLOREA LOS DIBUJOS QUE COMIENZAN CON LA LETRA A

Aa

TRAZA CADA LETRA Y COLOREA EL DIBUJO QUE COMIENZA CON LA LETRA A

AYUDA A LA ABEJA COMO LLEGAR HASTA EL PANAL.
NECESITAS UN AMIGO Y UN DADO.

6

COLOREA LOS DIBUJOS QUE COMIENZAN CON LA LETRA E

Ee

(7)

TRAZA CADA LETRA Y COLOREA EL DIBUJO QUE COMIENZA CON LA LETRA E

SUBETE AL COHETE Y LLEGARAS A LA LUNA.
NECESITAS UN AMIGO Y UN DADO.

TRAZA LA LETRA CON LA QUE COMIENZA CADA DIBUJO

3

COLOREA O REDONDEA LOS DIBUJOS QUE COMIENZAN CON LA LETRA I

TRAZA CADA LETRA Y COLOREA EL DIBUJO QUE COMIENZA CON LA LETRA I

8

LLEVA EL OSITO HASTA EL IGLU. NECESITAS UN AMIGO Y UN DADO.

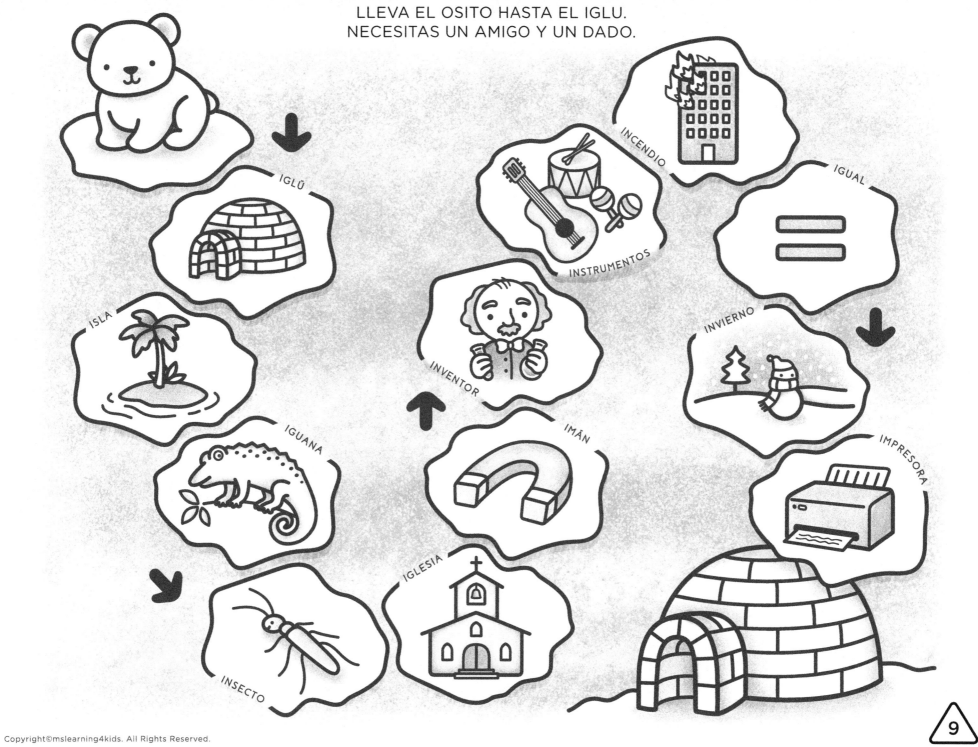

9

TRAZA LA LETRA CON LA QUE COMIENZA CADA DIBUJO

10

COLOREA LOS DIBUJOS QUE COMIENZAN CON LA LETRA O

2

3

COLOREA LAS OLAS Y CARACOLAS CON LA LETRA O

TRAZA CADA LETRA Y COLOREA EL DIBUJO QUE COMIENZA CON LA LETRA O

5

AYUDA A LA ORUGA A LLEGAR A LA HOJA.
NECESITAS UN AMIGO Y UN DADO.

6

TRAZA LA LETRA CON LA QUE COMIENZA CADA DIBUJO

7

COLOREA LOS DIBUJOS QUE COMIENZAN CON LA LETRA U

8

COLOREA O REDONDEA LOS DIBUJOS QUE COMIENZAN CON LA LETRA U

TRAZA CADA LETRA Y COLOREA EL DIBUJO QUE COMIENZA CON LA LETRA U

VIAJA POR EL UNIVERSO HASTA LLEGAR AL SOL.
NECESITAS UN AMIGO Y UN DADO.

UVAS

UNTAR

UNIFORME

UNIVERSO

UNO

UÑA

UNIR

ÚLTIMO

UNICORNIO

ÚTILES

UNIDAD

3

TRAZA LA LETRA CON LA QUE COMIENZA CADA DIBUJO

i u

a u

i u

e u

o u

a u

e u

i u

i u

o u

a u

o u

4

ESCRIBE LA LETRA CON LA QUE COMIENZA CADA DIBUJO

DI EL NOMBRE DEL DIBUJO Y CONECTALO CON SU LETRA INICIAL

6

RECORTA LOS DIBUJOS Y AGRUPALOS SEGÚN SU LETRA INICIAL

Aa Ee Ii Oo Uu

PÉGALOS EN LA SIGUIENTE HOJA.

CATEGORIZAR.

Aa Ee Ii Oo Uu

ÍNDICE

avión	espejo	iglesia	ogro	jirafa
araña	estrella	inventor	oreja	pirata
árbol	escalera	instrumentos	oro	nube
arco iris	enchufe	incendio	uno	cubo
abeja	enano	igual	unicornio	mono
ardilla	ensalada	invierno	uva	rosa
anillo	espinas	impresora	uniforme	foca
almendra	escorpion	oso	universo	manzana
ancla	erizo	oruga	uña	casa
ambulancia	escrito	olla	útiles	pájaro
ala	espuma	ola	último	pelota
autobus	iglú	ojo	unidad	perro
elefante	iguana	oveja	unir	gato
espada	iman	ocho	untar	vaca
escoba	insecto	ovillo	limón	mesa
escuela	isla	once	piña	pez

NOTAS

4793370R00050